U. Gast

# Mußte mal die Sau rauslassen

## Ausreden für Männer

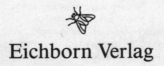

Eichborn Verlag

CIP-Titelaufnahme der Deutschen Bibliothek

**Gast, Ulla:**
Musste mal die Sau rauslassen : Ausreden für Männer / U. Gast. –
Frankfurt am Main : Eichborn, 1988
ISBN 3-8218-1991-X


© Vito von Eichborn GmbH & Co Verlag KG,
Frankfurt am Main, Februar 1988,
Cover Jürgen Möller. Gesamtherstellung:
Fuldaer Verlagsanstalt GmbH.
ISBN 3-8218-1991-X.
Verlagsverzeichnis schickt gern: Eichborn
Verlag, Sachsenhäuser Landwehrweg 293,
D-6000 Frankfurt 70

# VORWORT

Wer sich für dieses Büchlein interessiert, hat sie – die Frau, die sein Leben begleitet, sei es nun für ein elendig langes Erdendasein oder nur für ein paar verrückte Tage. Ob die Beziehung nun eher ein Teufelsritt, eine Schmusekiste, Nudelholzaffäre, Kulturakrobatik oder Liebesoper ist . . . jeder kennt die Situation, in der man sich der Holden – aus welchen Gründen auch immer – versagen möchte, wenn auch nur für kurze Zeit, und wo dann anschließend nur eines hilft: eine saftige Ausrede für die verfahrene Situation!

Logo, daß man am liebsten die Wahrheit wie den letzten Tropfen seines ehrenwerten Ego aus der Tube drücken möchte! Klar aber auch, daß die Angebetete die nutzlos gewordene Hülle gleich in den Abfalleimer befördern würde. Das will ja der Ausredenbenutzer nun auch wieder nicht.

Im angeschlagenen Zustand nächtelange Grundsatzdebatten durchzustehen, um sich anschließend so mies zu fühlen, daß es einen erneut magnetisch in die Kneipe (oder sonstwohin) zieht, das ist etwas für Kamikaze-Trottel, für Männer, die bei Leder weich werden. Aber nicht für den, der seine Partnerin und seine Ruhe liebt.

Für die strategisch wichtigsten Notfälle hält dieses Büchlein ein Erste-Hilfe-Arsenal bereit, aus dem man nach Herzenslust schöpfen kann. Für die schnelle Anwendung sind die naturgetreusten Ausreden hervorgehoben. Mit den übrigen kann die Liebe der Partnerin (zur Wahrheit!) getestet werden.

# 7 GRUNDREGELN FÜR AUSREDEN

1. Ausreden können durch Kürze – weil Würze – bestechen. Mit der richtigen Gesichtsmaske dazu bleibt ihnen nichts weiter hinzuzufügen.

2. Ausreden können knifflig und detailverbrämt sein. Detailgenauigkeit überzeugt, Verschlingungen ermüden. Außerdem glaubt jeder seit dem Kieler Saustall, daß nur die Wirklichkeit die unglublichsten Dinge erfinden kann.

3. Beim Vortragen von Ausreden muß ein Ausdruck der Selbstkasteiung, des Selbstmitleids, der tragischen Egozentrik »überkommen«. Der Belogene soll nicht auf die Idee kommen, etwa sich selbst als Opfer zu sehen.

4. Ausreden müssen so formuliert sein, daß sie nicht zur sofortigen Überprüfung ermutigen. Es sei denn, man hat das Alibi griffbereit.

5. Ausreden dienen grundsätzlich zum Schutz der eigenen oder einer anderen Person. Folglich dienen sie auch der Wahrung von grundgesetzlich garantierten Menschenrechten.

6. Ausreden erleichtern den Alltag und stimmen Menschen versöhnlich. Wie sollte man sich sonst die vielen gutgläubigen Schafe erklären?

7. Ausreden erfordern eine individuelle Abstimmung auf das jeweilige Gegenüber. Das heißt, der Ausreden-Benutzer muß einfühlend und fantasievoll sein.

**DIE EMANZIPIERTE**

# DIE EMANZIPIERTE

*Merkmale in Kurzform:* Sie ist berufstätig, eigenständig, läßt sich nichts vormachen, pflegt eigene Hobbys, braucht selbst Ausreden.

Alle Achtung! Dieser Frauentyp ist eine Herausforderung, wie man sie im Beruf nicht finden könnte. Mit allen Tricks und Trends vertraut, kitzelt diese Frau seinen Schweinehund heraus, um ihn mit spitzer Feder (ein Nudelholz ist ein Fremdkörper für diesen Typus) eigenhändig totzustechen.

Solch eine Frau sucht ihre Selbstbestätigung zuerst in ihrem Beruf, dann bei ihrem Partner, wenn sie versucht, ihm das Blaue vom Himmel zu lügen, nur weil sie eine Nacht mit Stephan »verquatscht« hat. Wenn sie dann mit 15 Kochtöpfen und Pfannen zwischen Fett und geronnener Sahne in der Küche schwitzt, um dem Geliebten zur Versöhnung ein Spiegelei aufzuwärmen, siegt bei ihm der Selbsterhaltungstrieb, der ihn mechanisch sagen läßt: »Laß uns doch heute abend groß essen gehen, Schatz!«

Sie selbst schätzt ihr privates Eigenleben und kennt alle Fraueninitiativen und Lesbenschuppen ihrer Umgebung. Und wenn sie nächtens dann in die Arme ihres Angebeteten sinkt, nachdem sie auf ihren »Emmas« an ihrer Bettseite ausgerutscht ist, dann kann er sich auf ein intellektuelles Vorspiel freuen oder muß sie in Sachen »frustrierte Selbsterfahrung« trösten.

Ansonsten ist sie zu allen Schandtaten bereit und versucht partnerschaftliche Toleranz.

Wer derart mit allen Wassern gewaschen ist, fällt nur bedingt auf Schmus herein. Die *vernunftbetont-egozentrierte Ausrede* muß her.

# Zu spät nach Hause gekommen

Wer kennt nicht das Gefühl: Der Büroschluß naht, der Unitag geht zu Ende, das Arbeitsamt hat seine Dienste eingestellt, und es zieht einen überall hin – nur nicht nach Hause. Nicht, daß man sein trautes Heim scheute! Aber die Verlockung, noch ein bißchen mit Heinz/Petra zu plaudern, ist einfach stärker. Außerdem hat man immer von einer toleranten Partnerschaft geträumt und nicht vom Trott, der einen auf Schritt und Tritt zur Rechenschaft zwingt. Darauf will man sich nun besinnen und sich mal ganz gegen die Gewohnheit treiben lassen.

Ob man bei der Süßen daheim auf das gleiche spontane Verständnis stoßen kann, ist natürlich noch fraglich, und deshalb überlege man sich am besten schon vorher, wie die eigene Haut zu retten ist . . .

## Situation: Zu spät nach Hause gekommen

Hatte eine Schlägerei mit Kohl. Jetzt hat er endlich Profil.

Was heißt hier »zu spät gekommen?« – Komm' ich zu früh, ist es dir auch nicht recht.

*Hatte mit meinem Chef noch ein Strategiegespräch. Ich habe im Urin, daß er noch Großes mit mir vorhat.*

Auf dem Heimweg traf ich noch Christa. Wieder mal am Rande des Selbstmords. Probleme mit Helmut. Habe ihr erzählt, wie toll es bei uns läuft.

*Da komme ich doch heute glatt in die Polizeikontrolle. Soll einem von der Fahndungsliste ähneln. Die hielten mich geschlagene zwei Stunden fest. Vor Wut habe ich das Telefonieren vergessen.*

Habe ein neues Tierexperiment probiert, und zwar einen Bullen zur Schnecke gemacht.

Nina war ganz spontan, lud mich zum Bier ein. Dann kam heraus, daß sie vor Männern auf einmal einen Horror hat. Wollte mit mir als Vertrauensperson testen, ob das ein Dauerzustand ist. Ist es zum Glück nicht. Die Zeit verging wie im Fluge.

*Sprechen mich doch drei Frauen von der »Roten Bete« auf der Straße an, Chauvi-Verhalten testen und so. Habe über das Diskutieren die Zeit vergessen.*

*Habe eine verheulte Frau aufgegabelt. Ob ich sie ins Frauenhaus bringen könne. Sie mußte sich erst den Frust von der Seele reden.*

Morgen ist Betriebsratssitzung. Da will ich unsere Kora ins Spiel bringen. Mußte dringend mit ihr die Einzelheiten besprechen. Stell dir vor, das Telefon in der Kneipe war im Eimer.

## MAL DRINGEND FORTMÜSSEN

Egal, wie harmonisch die Beziehung zu »ihr« ist – manchmal überkommt es einen Mann geradezu anfallartig: Er muß raus, braucht Luft, ein Stelldichein, ein Brainstorming (Gehirnpusten mit Alkohol).

Natürlich soll sie es nicht persönlich nehmen, tut es aber leider immer, und zwar so lange, bis sie es geschafft hat, ihr Opfer in Rede und Gegenrede zu verstricken, und der Abend wieder mal nach ihrem Zeittakt verlaufen ist.

Debatten sind daher oft fraglich. Dagegen knappe überzeugende Sprüche oft zwingend glaubwürdig.

Ein Griff in die Kiste der Ausflüchte, und ein trautes Weiterleben mit ihr ist garantiert ...

## Situation: Mal dringend fortmüssen

(Lassen Sie sich von einem Freund anrufen) *Fred sagt, ich müsse kommen. Seine Frau glaubt ihm nicht, daß er vorgestern Überstunden machen mußte.*

Ich hole mir mal eben ein Päckchen Zigaretten. (Bleiben Sie, solange Sie wollen – notfalls für immer; gegebenenfalls eine Ausrede »zu spät nach Hause gekommen« wählen.)

Hast du mal Nähzeug? Muß das Ozonloch flicken gehen.

*Ich muß mein Portemonnaie am Kiosk vergessen haben. Bin gleich wieder zurück* (kann Stunden dauern).

Mich zieht's ans Wasser. Fahr' mal eben an die See.

Ich muß mir die Stalagmiten aus meinen Nasennebenhöhlen entfernen lassen.

*Ich muß mich mal für ein paar Stunden ganz loslassen (du mich auch).*

Sven hat Probleme mit seiner Carrerabahn. Kann seinen Spieltrieb nicht ausleben. Hoffentlich richtet das keinen Schaden bei ihm an!

## Situation: Keine Lust auf Sex

*Bin heute mental nicht drauf.*

Der Trend geht dahin, sich auf seine Partnerin erst einmal psychisch genügend einzulassen, sagen die in der Männergruppe.

Mein Stabilisator ist verschwunden.

Muß ständig an deine Affäre mit Knut denken. Bin völlig verunsichert.

Sublimation soll das Höchste sein, hab' ich gelesen.

*Ich glaube nicht, daß Pariser vor AIDS schützen.*

Ich kriege mein Spreizhöschen nicht aus.

Laß mich erst gründlich über 'ne neue Stellung nachdenken (solange, bis sie eingeschlafen ist).

*Ständig spukt mir die Korruptheit unserer Ge-*
*sellschaft im Kopf herum. Laß uns diskutieren.*


**Situation: Ein Wochenende für sich
rausschlagen**


*Da gibt's einen Wochenend-Workshop für
Selbsterfahrung. Kann mir nicht schaden.*

Mein Chef schickt mich zum Rhetorikseminar
für Führungskräfte. Will ja eigentlich nicht
hin, muß aber.

Laß mich mal zwei Tage allein. Ich will wissen,
ob ich mich wieder auf dich freuen kann.

Bin mit Freunden zur Hanfernte in Oggersheim
verabredet.

*Du bist soviel unterwegs. Da wird doch wohl
mal ein Weekend in Paris für mich allein drin-
sitzen!*

*Mich zieht's raus aus der Routine. Laß einem Mann mal seine Freiheit.*

*Ich muß da mal unheimlich was rauslassen, z. B. die berühmte Sau. Kennst du doch auch, das Gefühl.*

Die Kollegen haben eine Vertrauensperson ge-wählt, als Firmenvertretung in Brüssel. Dreimal darfst du raten, wen sie gewählt haben. (Lassen Sie sich zur Bestätigung von einem befreunde-ten Kollegen anrufen, der über die Sache spricht.)

**Situation: Hochzeitstag / Kennenlerntag / Geburtstag vergessen**

*Ich finde, so was Konventionelles wie Geschen-kekaufen kann mein Empfinden zu dir nicht ausdrücken.*

*Dieser glückliche Tag ist eher ein Tag der glück-*
*lichen Besinnung als des Geschenkenaus-*
*tauschs. Vergessen habe ich ihn keinesfalls.*

Deinen Geburtstag vergessen wir lieber. So alt
wie du wird keine Sau!

*In der Dritten Welt verhungern die Kinder, da*
*sollten wir unsere egoistischen Feiergelüste*
*hintanstellen.*

Hatte für dich ein Abo »Playgirl« bestellt. Hast
du noch keinen Bescheid bekommen?

*Wollte mal sehen, wie du reagierst, wenn ich so*
*tu, als hätte ich diesen besonderen Tag ver-*
*gessen. — Dabei wollte ich dich gleich in die*
*exquisite Nachtwelt entführen.*

Habe eine Kiste Bier alkoholfrei gemacht — un-
sern Tag völlig verschwitzt.

Wollte dir als Geschenk Frank, deinen geheimen Favoriten, mitbringen. Leider ist er erkrankt (nicht vergessen, Frank zu informieren!).

*Ich schenke dir eine abenteuerliche Winter-/ Sommerreise* (die nichtaktuelle Saison einsetzen).

## Situation: Einen Seitensprung entschuldigen

*Habe die ganze Nacht diskutiert. Von Gelüsten keine Spur mehr!*

*Frederike sagte, sie hätte Angst. Ein Typ würde ihr in letzter Zeit im Hausflur auflauern. Mußte dann noch alles mit ihr aufarbeiten.*

Du weißt doch, daß ich kein Mann für eine Nacht bin. Sexistische Ausbeutung!

Habe eine Runde Mädels vernascht. Die liegen mir jetzt schwer im Magen.

*Paar Stunden mit Heike weg. Ich sollte ihr helfen, den Wagen anzuschieben. Schließlich kam noch ein zweiter Helfer dazu. Ich gucke hin und erkenn' Erich – einen alten Freund aus der Ökogruppe. Haben total die Zeit verquatscht.*

Mußte noch mit Bernd das gestrichene Vorspiel üben.

*Bei der politischen Einstellung, die die Frau hat, ist bei mir absolut nichts mehr drin.*

In der Männergruppe mache ich mich langsam lächerlich, wenn ich immer nur von den Abenteuern mit dir erzähle.

Die hatte Sexualprobleme. Konnte man nur in der Praxis lösen. Rein therapeutisch!

DIE PERFEKTE HAUSFRAU

# DIE PERFEKTE HAUSFRAU

*Merkmale in Kurzform:* Sie hat Sinn für Behaglichkeit und Familie, ist nicht berufstätig, fördert die Karriere ihres Mannes, ist gutgläubig.

Da kann sich jeder Pascha die Hände reiben, wenn er diesen Frauentyp sein »eigen« nennen kann. Sie ist die Richtige für Emanzenhasser, für Männer, die schon beim Wort »Frauenladen« die schützende Freistoßhaltung einnehmen.

Doch zu einer Beziehung gehören immer zwei, und so genießt auch die Hausfrau ihr Glück und weiß sich sehr wohl ein Sahneschnittchen aus dem Kuchen familiärer Organisation und Selbstaufgabe herauszuschneiden. Ihren Job hat sie an den Nagel gehängt, weil zuviel Streß zuwenig Geld bescherte. Die Version ihrem Mann gegenüber lautet, sie habe ihre Karriere seinem Aufstieg geopfert.

Um ihren Status zu sichern, fällt sie in das Geheule über die eiskalten Karriereweiber ein, wenn sie sich nicht gerade mit einer Freundin verabredet hat, die »ihre Frau« steht.

Unbenommen kann man bei ihr vom Fußboden essen, was aber nie einer tut, und sich reichlich den Bauch vollschlagen, was keiner sollte! An ihre Freiräume hat sie sich gewöhnt, und sie liebt es, tagsüber Freund(innen) zu besuchen oder Dialoge für ihren Durchsetzungskurs durchzuspielen. Oder auch, ihr Haushaltsgeld in Schönheitsstudios zu schleppen.

In bester Inszenierung versteht sie es dann, eine Viertelstunde vor Büroschluß ihres Mannes die Waschmaschine anzustellen, tropfnasse Wäsche über die Badewanne zu hängen und die Kartoffeln zwischen halberledigtem Abwasch zu schälen, so daß er bei seinem Eintritt ins häusliche Reich vor schlechtem Gewissen derart erstarrt, daß er den Zoff mit dem Alten ebenso schnell verdrängt wie den geschlitzten Lederrock von Fräulein Ute.

Macht er schlapp, treibt sie ihn an – immerhin steht auch *ihre* Zukunft auf dem Spiel!

Dafür weiß der Partner (?) dieses Frauentyps sich damit zu brüsten, daß sie es nicht nötig habe, »mitzuarbeiten« – ein abgekartetes Spielchen, fürwahr!

Solch eine Frau ist klug genug, ihm einiges abzukaufen, was er zu seiner Entschuldigung vorbringt. Trotzdem ist die *fürsorgliche Ausrede* zu empfehlen.

## Situation: Zu spät nach Hause gekommen

*Hatte für dich einen Super-Küchenfix-Allzweckstab entdeckt. Als ich ihn heute abend kaufen wollte, war er schon weg. Habe mir*

*noch die Hacken nach etwas Ähnlichem abge-*
*laufen. Aber vergebens!*

Wunder gibt's — Geizkragen Heribert hat sich
daran erinnert, daß er mir meine gewonnene
Wette noch nicht eingelöst hat. Er konnte nur
heute. Habe die Gelegenheit beim Schopf er-
griffen.

Mußte meine Leber pflegen. Der war eine Laus
drübergelaufen.

Habe einem Faß den Boden ausgeschlagen.

Bin leider aufgehalten worden. Dachte, ich hätte ein Fernrohr im Strohballen plattgefahren.
Dabei war es Heino.

*Dachtest du, ich hätte nach Büroschluß noch*
*gewußt, wo ich den Wagen geparkt hatte?*
*Dachte, ich sei abgeschleppt worden, bin hin*
*zur Polizei. Das Hin und Her hat mich drei*
*Stunden gekostet. Dann fiel mir ein, daß ich ja*
*mit dem Bus gefahren war.*

Werner hat mich in einen Gesprächskreis gezerrt: mehr Haushaltsgeld durch weniger Kneipengänge. War doch in deinem Interesse, oder? Allerdings – graue Theorie.

Bin heute mal eine andere Strecke gefahren. Dachte, das sei eine Abkürzung. Kilometermäßig ist es das auch. Doch hatte ich nicht bedacht, daß ich von der anderen Richtung her enormen Gegenwind hatte. Du siehst ja, wie spät ich komme.

*Habe bei meinem Chef mächtig auf den Putz gehauen. Der war so eingeschüchtert, daß er mich zur Aussprache noch zu einem Umtrunk eingeladen hat. Kann man nicht ausschlagen.*

Kriegte kurz vor Büroschluß auf einmal einen Moralischen, weil wir uns durch meine Arbeit so selten sehen. Bin daher noch ein bißchen durch die Stadt gebummelt.

## Situation: Mal dringend fortmüssen

Die keimfreie Wohnung nimmt mir die Luft. Muß dringend nach draußen.

Will dir nicht bei der Hausarbeit im Weg herumstehen. Bin in drei Stunden wieder zurück.

Hab' neulich ein Superangebot für dein Kochzentrum entdeckt. Fahre eben mal schauen, ob es noch da ist.

Heikes Wasserbett ist geplatzt. Totale Überschwemmung!

*Muß mal eben gucken, ob wir bei der Tchibo-Verlosung die Kaffeefahrt gewonnen haben.*

Will unsere Wohnung nicht unnötig verschmutzen. Ich geh' mal eben kurz auslüften.

*Bei Peter gibt's heute Fressen gratis. Feiert seine Scheidung — nur mit ein paar engen Freunden.*

*Treffe Paul in der Stadt. Es geht um seine kranke Schwester. Gut, daß ich zufällig in mein Notizbuch geschaut habe. Hätte sonst glatt den Termin verschwitzt.*

## KEINE LUST AUF SEX

Ein heißes Eisen? Keine Bange, keiner zweifelt an der Attraktivität Ihrer Partnerin. Nein — erst recht nicht an Ihrer Männlichkeit!
Ein gewisses Maß an Enthaltsamkeit wird sogar eher dem Sexualleben förderlich sein, und daß man seine Angebetete einmal so gut kennt und nicht mehr ganz so messerscharf auf sie ist wie zur ersten Stunde, muß leider als allgemeine Erfahrung hingenommen werden. Man kann sich natürlich etwas Besonderes einfallen lassen — nur blieb mal wieder die ganze Kreativität im Büro. Bis zur ehrlichen Freude auf das nächste Mal mit der eigenen Partnerin muß vorübergehend eine Ausrede herhalten.

**Situation: Keine Lust auf Sex**

*Hab' mir beim Birneneinschrauben den Ischias geklemmt.*

Will mich heute enthalten, um meine Energien in das wichtige Arbeitsgespräch morgen zu legen.

Freu dich nicht zu früh, das ist keine Leidenschaft, sondern Asthma.

*Fühl' mich so down, fiebrig, klebrig, nervös etc.*

Du hast das Bett so ordentlich gerichtet. Das will ich mit schnödem Sex nicht wieder zunichte machen.

Habe mich an meinem Auswurf verschluckt.

*Ich glaub', dein Apfelkompott war schlecht. Mir ist total flau.*

Wenn ich mir vorstelle, daß du auch zu den Hausfrauen gehörst, die ihre Privatpornos herstellen, kann ich nicht mehr.

*Mir kommen die Verrenkungen auf einmal so idiotisch vor.*

**Situation: Ein Wochenende für sich rausschlagen**

Da läuft ein Fortbildungskurs in Sachen Haushalt mit angeschlossenem Kochseminar. Da könnte ich dir nachher gut unter die Arme greifen.

*Fühl' mich in letzter Zeit so kaputt. Muß mal zwei Tage ausspannen und sehen, ob das nur psychisch ist.*

Aldi hat zu einer Tombola der besten 500 000 Kunden geladen. Da wird ein Küchenmesser-

Set verlost. Komischerweise ging die Einladung an mich. Weiß gar nicht mehr, wo die geblieben ist.

Habe mich für einen Pariser-Test in Lübeck angemeldet. Kommt uns schließlich zugute.

Das ZDF sucht den Hauptdarsteller für den Neandertaler. Jemand aus der Firma muß der Redaktion ein Foto von mir geschickt haben. Bin jetzt eingeladen worden.

*In meinem Jahreshoroskop stand, ich müßte am Wochenende X dringend dem häuslichen Einfluß entfliehen. Mein Aszendent würde sonst Mord und Totschlag verheißen.*

Hatte immer mal vor, Preise in Hamburg zu studieren. Wenn's dort billiger ist, können wir ja dahin umziehen. Will unvoreingenommen vorgehen — also ohne dich.

*Habe letzte Nacht lauter grüne Putzteufelchen gesehen, muß hier rrrraus!*

**Situation: Hochzeitstag / Kennenlerntag / Geburtstag vergessen**

Zu diesem besonderen Tag wollte ich dir mit neuen Dingen, Geschenkpapier etc. keine unnötige Arbeit bereiten.

*Habe dir nichts mitgebracht. Weißt du, warum nicht? Wollte dich zum Essen entführen.*

*Ich hatte dir schon eine Super-Rheumadecke gekauft, als meine Kollegen heute sagten, so ein Geschenk sei blöd. Jetzt hab' ich nichts anderes.*

Was heißt hier: Hochzeitstag vergessen? — Sei froh, daß du überhaupt einen mitgekriegt hast!

*Weißt du was? Heute gibt's mal ein ganz besonderes Geschenk: mal kräftig gebumst!*

Hatte dir schon als Geschenk einen Einkaufs-
wagen vor die Tür gestellt. Jetzt hat ihn wohl
ein Nachbar weggenommen und in den Super-
markt zurückgebracht.

Hatte schon mein Sparbuch geplündert. Hatte
dann aber doch Angst, das mühsam Ersparte
für was Nutzloses auszugeben. Also, als Geschenk kriegst du jetzt statt dessen mehr Haushaltsgeld.

Hatte ein Abo für die Schönheitsfarm für dich
besorgt. Dann fiel mir ein, du könntest das
falsch auffassen. Hab' es deshalb unserer Sekretärin geschenkt. Ein taktvolles Geschenk
fiel mir leider nicht ein.

**Situation: Einen Seitensprung entschuldigen**

*Du liest zuviel Bildzeitung. Ich und fremdge-
hen...*

Mußte meine miesen Gelüste bei der Schlampe lassen. Du bist mir zu schade dazu.

Die hat behauptet, ihre Matratzen seien durchgelegen. Sollte probeliegen.

Habe einen flotten Dreier bis vier gemacht.

*Hör mal, die hat Familie. Denkst du, ich lad' mir 'ne zweite Schwiegermutter auf?*

Behauptet, von ihrem Bett aus könne man den Sternenhimmel sehen. Habe vier Stunden dagelegen — aber nichts zu sehen.

*Angela hat behauptet, bei ihr zu Hause sehe es ordentlicher aus als bei dir. Die Wette bin ich eingegangen. Jetzt hat sie ein Bier verloren.*

Die ist gut! Sagt, ihr Bettlaken verursache Allergien. Mußte mich als Testperson bereithalten.

DAS WEIBCHEN

# DAS WEIBCHEN

*Merkmale in Kurzform:* Sie ist oft berufstätig mit dem Ziel, irgendwann endlich zu Hause bleiben zu können, liebt Materielles, verwöhnt »ihn«.

Sie erkennen das Weibchen keinesfalls an seinen weizenblonden Haarlack-Locken und seiner aufgeworfenen Unterlippe unter Jalousienaugen. So einfach macht sie es den Männern nicht. Schließlich hat sich auch beim letzten Don Juan herumgesprochen, daß sich mit derartiger Kitschstaffage kein Staat mehr machen läßt. Zu sehr wurde gebastelt am Image der hohlköpfigen Süßen.

Das Weibchen weiß sehr wohl, was es will, nämlich verwöhnen und verwöhnt werden, wobei das erste dem zweiten dient. Dieser Frauentyp vermag viele Situationen zu seinen Gunsten zu nutzen, indem er mit sicherer Hand in die Gefühlskiste greift und genau das Muster herausfischt, auf das der Angebetete hereinfällt.

Das ist die Frau mit Kinderaugen und Krokotränen, wenn er eine Viertelstunde zu spät kommt, die Frau, die ihre Gehaltserhöhung mit der gekonnten Beinpose (bei geschlitztem Rock und Netzstrümpfen) erkämpft. Beim richtigen Neigewinkel ihres Unschuldsblicks und mit selbstvergessenem Lippenbefeuchten prellt sie jedes Bußgeld im Straßenverkehr. Und wenn sie dann halbverschämt dem halbwüchsigen Jungpolizisten entgegenhaucht: »Muß ich denn auch blasen, Herr Wachtmeister?« nimmt dieser schnellstens Reißaus, bevor er ein Verfahren mit Abhängigen riskiert.

Hier ist die Frau, die sich verbessern will, vor allem materiell. Ihre Devise lautet: Raus aus dem Dreck – rein in die Creme, wo Luxus angesagt ist! Endstation Dallas! Für dieses Ziel zieht sie alle Register und Revolver. Daß sie dabei mit »Körpereinsatz total« vorgeht, versteht sich von selbst.

Kitzeln Sie die Eitelkeit dieses Weibchens, nehmen Sie ihr nicht die Träume, denn Sie zehren ja schließlich auch von ihrer Idealisierung. Die *schmeichelnde Ausrede* wird ihren Zweck nicht verfehlen.

## Situation: Zu spät nach Hause gekommen

Mein Chef und seine Frau haben mich spontan zu einer Modenschau eingeladen. Hätte ja was Nettes für dich dabeisein können.

*Stell dir vor, da gab es in der Einkaufszone eine einmalige Gelegenheit, an Gratis-Tickets für eine Schönheitsfarm zu kommen. Stand mir die Beine für dich in den Bauch. Der vor mir hatte gerade noch Glück.*

*Treff' ich doch zufällig Manfred — der, der dich so aufregend findet! Schwärmt mir was vor, daß ich total eifersüchtig werde. Beim Essen habe ich ihn dann beschworen, daß er die Finger von dir lassen soll.*

Autopanne: Meine Zündkerzen tropften in das Motoröl.

Mußte noch ins Fundbüro. Hatte den Rückwärtsgang verloren.

Warum ich so spät komme? Hatte eine Tomate mit einer Kakteenfrucht verwechselt.

*Ein kleiner süßer Bengel heulte an der Straßenecke. Hatte seine Mutter verloren. Habe mich natürlich seiner angenommen und nach drei Stunden endlich seine Adresse herausgekriegt.*

*Versuch du mal, ein intaktes Telefonhäuschen zu finden!*

Wollte dich mit der netten Krokotasche überraschen. Treffe dann doch tatsächlich meinen Chef im Laden. Auf einmal kriegt der noch die besten Arbeitsideen und lädt mich prompt auf einen Wein ein.

*Habe mich mit ein paar Tierschützern angelegt, du weißt doch, die Schlampen, die schicke Frauen wie dich im Pelzmantel verabscheuen. Das hat mich aufgehalten!*

*Heute war überhaupt kein Durchkommen in der Stadt. Jede Nebenstrecke blockiert. Hast du mitbekommen, was eigentlich los war?*

**Situation: Mal dringend fortmüssen**

Du machst mich ganz verrückt. Muß mal auf andere Gedanken kommen.

*Kurt hat für mich 'ne Karte für die Motorboot-Schau losgeeist. Die Gelegenheit!*

Das Spielkasino hat heute den Tag der offenen Tür. In so was hab' ich immer Glück!

Conny hat mich zu einem Stück Mutterkuchen eingeladen.

*Muß mal weg. Soll 'ne Überraschung werden.* (Vergessen Sie nicht, eine Schachtel »Montenegro Füßchen« mitzubringen.)

Bin als Schöffe vorgeschlagen. Muß zum Gespräch in die City.

Da soll's eine günstige Gelegenheit geben, einen »Rolls« zu erstehen. Ob mich Hermann angekohlt hat? Ich fahre vorsichtshalber mal hin – Männersache!

*Felix meint, ich würde immer nur mit dir aufkreuzen. Dem zeige ich jetzt aber, daß du selbständig bist, und fahre ihn gleich allein besuchen.*

## Situation: Keine Lust auf Sex

Zu häufiger Beischlaf nutzt sich ab.

*Der Gedanke, du könntest jemand anders begehren, macht mich überall lahm.*

Du weißt doch, daß ich nur noch bei Roger Whittaker so richtig in Schmusestimmung komme, habe aber die Platte verliehen.

Du hast Beine wie ein Reh, nicht so schlank, aber so behaart.

Ich finde dich so aufregend, daß es mich verunsichert, daß du gerade mich willst.

*Ich sehne mich zu sehr nach dir, als daß die Nummer so toll sein wird, wie ich's erwarten würde. Also lassen wir's lieber.*

Habe mich an einem Federkern verschluckt.

Laß mich den Zeitpunkt diesmal bestimmen. Das macht mich so scharf. Entspann dich schon mal. (Warten, bis sie eingeschlafen ist.)

*Gegen dieses Parfüm bin ich irgendwie allergisch. Ich glaube, weil meine Oma es immer trug* (Stimmung garantiert im Eimer!).

## Ein Wochenende für sich
### RAUSSCHLAGEN

So ist das eben. Willy ist allein unterwegs, Holger ist frischgeschieden, Arno macht eh' alles allein — und man selbst wandelt zu zweit. Fast wurde man schon gar nicht mehr vom Reigen der Singles auf ein richtiges Männerwochenende angesprochen, da fährt es aus einem heraus: »Laßt uns mal wieder eine richtige Sause machen!«

Hocherfreut quittieren die Kumpel diesen Vorschlag, und im Kopf hämmert's schon, weil die gleiche Begeisterung bei der Daheimgebliebenen nicht vorausgesetzt werden kann.

Natürlich möchte sie nur mit ihrem Mann zusammensein. Dieses Verlangen sollte nicht schonungslos mit Wahrheiten erstickt, sondern zum eigenen Vorteil geschürt werden. Daher bitte im Ausreden-Katalog nachsehen.

## Situation: Ein Wochenende für sich rausschlagen

Du hast doch auch schon mal von dem Erotikseminar für Männer gehört. Da kann ich bestimmt noch einiges für uns lernen.

*Ich muß Klemens ein Alibi für seine Frau verschaffen. Deshalb soll ich mit ihm nach Amsterdam fahren, wo er die andere trifft.*

Hab' ein Schreiben erhalten. Ein entfernter Onkel ist schwerkrank und möchte ausgerechnet mich noch mal sehen. Von Mann zu Mann.

Habe einen steilen Zahn für meine Prothese im Visier. Will jetzt die erste Füllung testen.

In Frankfurt soll's so tolle Mädels geben. Kann ich mir gar nicht vorstellen. Will da mal mit Henry hin. Die Frankfurter werden gucken, wenn ich denen dein Foto zeige.

*Muß mal nach Köln – geschäftlich. Kann dich aber nicht mitnehmen. Du wirkst so aufreizend auf die Leute.*

*Ferdi sucht doch zur Zeit wie wild 'ne Frau. Soll mit ihm nach Düsseldorf fahren. Bleib mal lieber zu Hause. Sonst muß ich zu sehr auf dich aufpassen.*

Da läuft ein Klassentreffen von unserer Grundschule. Stell dir mal vor – die Leute nach 35 Jahren wiederzusehen!

**Situation: Hochzeitstag / Kennenlerntag / Geburtstag vergessen**

Du willst doch immer, daß man dich jünger schätzt. Da sollte man den Tag auch gar nicht erst erwähnen.

*Wollte nur mal testen, wie süß-enttäuscht du mit deinem Schmollmündchen aussehen würdest. Dabei hab' ich ein ganz tolles Geschenk. Mist, ich hab's im Büro liegenlassen.*

Mir ist ein Bunny auf die Kühlerhaube gesprungen.

Hatte ein Geschenkabo im »Luxus-Schönheitsstudio« für dich ergattert. Jetzt höre ich heute, daß der Laden dichtgemacht hat. Denen zeig ich's morgen.

Wollte dir für heute ein schnuckeliges Einkaufswägelchen vor die Tür stellen. Jetzt höre ich, es gibt Lieferschwierigkeiten. Wenn man mal spontan sein will! (Nicht vergessen, Ihre Frau zu etwas Billigerem umzustimmen.)

Hab' noch mit Susi geprobt. Du weißt doch, wir machen Hausmusik.

Hatte eine ganz tolle Pornosammlung mit den Abbildungen unserer Belegschaft. Dann sagte mir einer was – von wegen Persönlichkeitsrecht und so. Mußte es abgeben. Jetzt habe ich nur mich zum Vernaschen.

*Will mit dir gleich morgen zum Juwelier, dir ein Straßkettchen kaufen. Für heute war's vergriffen.*

*Soll das heißen, Gerd F.* (Namen eines Unbekannten benutzen) *hat die Rosen, die er dir vorbeibringen sollte, nicht abgegeben?*

**Situation: Einen Seitensprung entschuldigen**

*Weißt doch, ich bin total auf dich fixiert. Kann gar nicht mehr mit 'ner anderen.*

Wollte versuchen, ob ich überhaupt noch mit anderen kann. Geht nicht mehr.

Meine Autoreifen hatten keinen Charakter, äh Profil mehr. Mußte mir neue besorgen.

*Die hatte behauptet, ich sei schwul. Konnte ich doch nicht auf mir sitzenlassen. Bei so einem Frauchen wie dir!*

Die hat mir ihre Dessous gezeigt. Da konnte ich am besten sehen, ob das nicht was für dich wäre.

Heute ist mein Glückstag. In der Straße am Bahnhof wurden mir ständig Nummern angeboten.

Wollte mir Appetit holen für dich!

War die langweilig! Hat mich auf der Fete ganz schläfrig gemacht. Hat mich magisch zu sich ins Bett gezogen.

*Die hatte so'n süßes Disney-Video. Hab' mich halb totgelacht!*

**DER KUMPEL**

# DER KUMPEL

*Merkmale in Kurzform:* Mit ihr kann man Pferde stehlen, sie ist meist berufstätig, stellt gleiche Erwartungen an Mann und Frau, kocht mehr schlecht als recht.

Sie kann einfach alles, aber nur, wenn es ihr gerade in den Kram paßt. Wird sie von Kochgelüsten übermannt, kauft sie fünf Tüten Frischware ein mit der Haltbarkeitsdauer von 24 Stunden. An dem Tag setzt sie ihrem Mann dann – ganz verwöhnende Hausfrau – sechs warme Mahlzeiten vor, deren Nährwert man am besten kaktusähnlich wochenlang speichern sollte; denn es kann sein, daß sie nun ihre Hausfrauenlarve abstreift. Und wenn er gerade jetzt einen wichtigen Geschäftspartner zum Abendessen mit zu sich nach Hause bringt, gibt's fade Würstchen, weil ihr eben nach Verführerin ist und sie mit ihrem tiefen Dekolleté die Verhandlungstaktik seines Geschäftspartners vermasselt.

So weiß man bei ihr nie, mit was gerade zu rechnen ist, eben nur soviel, *daß* mit ihr zu rechnen ist. Zu keinem Zeitpunkt läßt sie ihren Liebsten im Stich. Was nicht heißen soll, daß sie ihn nicht mit Wortkaskaden – wenn sie mal gerade die Beredte ist — humorvoll-niederschmetternd dem Gelächter einer ganzen Partyrunde preisgibt, ohne ihn allerdings wirklich verletzen zu wollen.

Doch wenn er ihr beichtet, daß Karin ihm nun mal den Kopf verdreht, wird sie ihm im Gegenzug ebenfalls ihre latent-erotische Beziehung zur besagten Dame offenbaren.

Es bedarf schon eines belastbaren Nervenkostüms bei diesem Kaleidoskop von Frau. Doch kann man auf viel Nachsicht und Hilfe hoffen. Wen wundert's also, wenn sie bei einflußreichen Personen geschickt den häuslichen Berufseinsatz ihres Mannes einstreut oder ihrem Herzbuben einen Strauß Rosen mit Gruß von Maggy schickt, damit sich sein angekratztes Selbstbewußtsein erholt?

Kurzum — sie geht mit ihrem Partner durch dick und dünn, nur: Was dick ist, bestimmt sie! Tatkräftig stemmt sie sich den Unbilden des Lebens entgegen. Da sieht sie ihre Herausforderung. Daher sollte man bei seinen Ausflüchten aus dem vielschichtigen Reservoir des Alltags schöpfen.

Ein Tip: die *lebensnahe Ausrede.*

## Situation: Zu spät nach Hause gekommen

(Telefonisch) *Komme heute etwas später. Muß unseren Azubi noch auf die richtige Gesprächstaktik mit unserem Chef vorbereiten. Ich habe ja auch mal klein angefangen.*

*Auf dem Heimweg habe ich doch ein kleines Hündchen am Straßenrand entdeckt. Herrenlos! Bin zur Polizei, zum Tierheim. Habe da die Adresse einer gutherzigen alten Dame bekommen und das Tierchen dahingebracht.*

Mußte Helmut bei der Lorbeerernte helfen.

Klaus hat doch solche Probleme mit dem Alkohol. Jetzt wollte er mal sehen, ob er trocken bleiben kann, auch wenn andere einen heben. Konnte ihn doch in seinem Zustand nicht allein lassen!

*In unserer Firma gab's Bombenalarm. Zur Aufklärung rückte die Kripo an — stundenlanges Verhör! Bitte erspare mir Ähnliches!*

Konnte nicht eher kommen. Mein Fußpilz wurde heute eingeschult.

*Zu spät bin ich? Hatte gedacht, du seist den ganzen Abend auswärts, oder sollte das ein*

*Mißverständnis gewesen sein? Und da die Woh-*
*nung ohne dich so verlassen ist, bin ich mit*
*Tom rumgezogen.*

*In der Bahn war auf einmal meine Tasche ver-*
*schwunden. Habe alles abgesucht. Stell dir vor*
*— irgend jemand hat sie am Bahnhofs-Fund-*
*büro abgegeben. Das Bahnhofstelefon war*
*ständig besetzt, so daß ich dir keinen Bescheid*
*geben konnte.*

Habe eine Nonne geschwängert. Eh' *die* ihre
Klamotten ausgezogen hatte!

*Die Frau vom Chef kam heute ins Büro, ver-*
*wickelte alle möglichen Leute ins Gespräch.*
*Komischerweise konnte sie bei mir kein Ende*
*finden. Fand meine Ansichten so faszinierend.*
*Da kann ich der Frau vom Chef doch nicht . . .*

**Situation: Mal dringend fortmüssen**

*Tante Hetti kriegt einen neuen Schlafzimmer-schrank. Soll ihn für sie aufbauen. Den Packern traut sie nicht. Springt sicher was dabei raus!*

*Ich soll Ferdi bei einer Gewerkschaftssitzung vertreten. Da wird ein heißes Eisen angepackt. Ferdi ist auch immer so hilfsbereit.*

Habe den Einfüllstutzen von meinem Mercedes verloren.

*Helga ist im Büro eingeschlossen. Hat die anderen Kollegen nicht erreicht. Zum Glück habe ich noch einen Schlüssel.*

*Eine Runde Jogging im Park wird mir guttun. Baut Streß ab.*

*Muß mir in aller Ruhe beim Spaziergang 'ne Gesprächsstrategie für morgen ausdenken. Ist ein wichtiger Kunde.*

Muß in die Reinigung – meinen Heiligenschein polieren lassen.

Habe meine freiwillige Woche. Geh' jetzt freiwillig ein Bier trinken.

*Mein Chef sitzt in einer wichtigen Verhandlung. Scheint ohne mich aufgeschmissen zu sein. Habe bitte Verständnis, daß ich ihm unter die Arme greifen muß.*

**Situation: Keine Lust auf Sex**

Meine Liebe zu dir wächst von Tag zu Tag. Das scheint komischerweise auf meine Männlichkeit zu gehen.

*Peter sagt, wenn man sich längere Zeit seiner Frau versagt, wär's nachher so schön wie nie. Muß ich probieren.*

Ich muß mich an der Meerjungfrau von der letzten Nacht verkühlt haben.

*Kann das sein, daß das Haltbarkeitsdatum der Forellen schon abgelaufen war? Hab' Magenkneifen.*

Fühle mich sexuell ausgebeutet. Erzähl mir lieber was Schönes!

*Werde den Gedanken nicht los, daß ich nicht dein erster war. Irgendwann werde ich auch d a s überwinden.*

Mir ist kotzübel. Habe mangels Schnaps mein Rasierwasser gesoffen.

Du kommst mir heute so fremd vor. Weiß auch nicht, woran das liegt.

Habe was von durchlöcherten Parisern gelesen (nicht anwenden, wenn sie die Spirale hat). Macht mich *doch* unsicher!

**Situation: Ein Wochenende für sich rausschlagen**

*Da gibt's doch den alten Schulfreund Kuno, der im Harz wohnt. Hat den Sentimentalen und will mich unbedingt sehen.*

*Heribert baut doch schon seit geraumer Zeit. Alle seine Bekannten haben schon ausgeholfen. Wenn ich mich nicht auch mal zeige, ist's aus!*

Ziehe am Wochenende mit Peter in die Lege-batterie – Hühner befreien; anschließend ins Schwesternheim – Schwestern . . .

*Soll meinen Chef nach Hamburg begleiten. Ich glaub', seine Frau ist so eifersüchtig auf seine Sekretärin.*

Fühl' mich wie in der Midlife-crisis. Habe mir einen Termin beim biogenetischen Guru in München besorgt. Hat mit dir gar nichts zu tun.

Hatte mir immer schon mal vorgenommen, auf alten Spuren zu wandeln. Reine Nostalgie. Bringt mich aber für die Zukunft weiter.

Habe einen Sauftermin mit den »Anonymen Saufbrüdern«.

*Ohne den Fortbildungskurs in Bielefeld wird bestimmt der andere befördert.*

Ich will endlich mal die Schnauze von anderen Frauen vollkriegen. Habe fürs Wochenende gleich zwölf Termine mit unterschiedlichen Miezen gemacht. Keine Angst, ist weit weg!

# HOCHZEITSTAG / KENNENLERNTAG / GEBURTSTAG VERGESSEN

Über kurz oder lang erwischt es jeden einmal: Er kommt an einem vermeintlich normalen Tag nach Hause, wundert sich über die reizvolle Aufmachung seiner Partnerin, den geschmackvoll gedeckten Tisch.

Nach einem langen eindringlich-erwartungsvollen Blick durchzuckt es ihn wie der Blitz: Heute ist »unser« Tag!

Im nachhinein kann er ihren Blick von morgens deuten, ihr Leuchten in den Augen. Wie der Teufel so will, hatte er sich noch drei Monate zuvor vorgenommen, diesmal etwas ganz Besonderes zu arrangieren. Jetzt steht er wie ein Trottel unvorbereitet vor ihr, deren Gefühle in den nächsten Sekunden ganz in seinen Händen liegen.

Da muß man Erbarmen haben, da verletzt Ehrlichkeit! Mit der richtigen Ausrede kann man sich sogar jetzt noch Respekt bei ihr verschaffen . . .

## Situation: Hochzeitstag / Kennenlerntag / Geburtstag vergessen

*War felsenfest davon ausgegangen, daß der Bote dir die Überraschung schon überreicht hat. Muß da dringend morgen nachhaken.*

*Ich wollte mal gar nichts planen, sondern ganz spontan mit dir überlegen, wie wir feiern.*

*Mein Geschenk ist ideell: Ich bleib' dir ein ganzes Jahr treu / übernehme das Bügeln / kaufe immer ein / gehe alle Runden mit dem Hund ...*

War zur Beerdigung, mein schlechtes Gewissen begraben.

Hatte für uns beide heute abend eine Striptease-Nummer bestellt. Als ich sah, wie attraktiv die Dame war, habe ich sie schleunigst wieder abbestellt. Ich wollte doch einen gemütlichen Abend mit dir. Also, mach du den Strip, Liebes!

*War felsenfest davon überzeugt, du würdest diesen Tag vergessen! Wollte dich nicht in Verlegenheit bringen!*

Habe ein Theater-, Kino-, Zirkus- und Kaba-rett-Abo besorgt. Läuft natürlich alles erst ab nächste Woche an!

Hatte ein Pferd für dich gekauft. Dachtest du, ich hätte daran gedacht, daß wir das ganze Heu in der Wohnung nicht lagern können? Dafür gibt's morgen 'ne Flasche 4711.

## Situation: Einen Seitensprung entschuldigen

*Mußte Anni trösten. Wollte nicht mehr leben wegen Max.*

Ich und Claudia? Bin gar nicht ihr Typ.

*Die hat mich in ihre Wohnung gelockt. Sie hat gesagt, ihr Freund wolle mich kennenlernen. Er sei so eifersüchtig auf mich. Mußte ihn über-zeugen, daß er keinen Grund zur Eifersucht zu haben braucht.*

Habe ein paar Goldfische zu Barren verarbeitet. Jetzt bin ich reich!

Mir hat jemand aufs Auge gehauen. Wollte dir den Anblick nicht zumuten und habe mich für die Nacht bei Felix eingemietet. Zum Glück war die Beule heute morgen weg.

Die hatte so etwas Mitleiderregendes. Da wurde ich einfach schwach.

*Kathrin interessiert sich auch so für die Fotografie/Autosammeln/türkische Kochrezepte etc. Die hatte 'ne Auswahl...*

*Die ist zur Zeit allein mit ihrer bettlägrigen Oma zu Hause. Die mußte bettfertig gemacht werden. Das sind schwere Hebearbeiten gewesen. Zum Dank gab's dann noch Kakao mit Keksen.*

DIE VERWÖHNTE

# DIE VERWÖHNTE

*Merkmale in Kurzform:* Sie stammt aus gutem Hause, strebt nach Höherem, ist kultiviert und gepflegt, schätzt Umgangsformen, spornt ihren Mann zu Leistung an.

Der »Besitzer« dieses Typs weiß ja wohl am besten, auf wen er sich da eingelassen hat. Schließlich war *er* es, der ihre unnahbare Art so reizvoll fand.

Und nachdem er ihr mittlerweile vom Perser, übers Chippendale-Kommödchen bis hin zum Rennpferd bereits alles zu ihren gepflegten Füßen gelegt hat, ist er weiterhin gezwungen, das Luxusgeschöpf mit »Kleinigkeiten« zu erfreuen. Manchmal kommt ihm dabei ihr vornehmes Understatement zugute, das auch einmal eine Schachtel »After Aids« zuläßt. Diese Frau hatte das zweifelhafte Glück, in sogenannte gute Verhältnisse hineingeboren zu werden oder als »Objekt Einzelkind« das Zentrum sämtlicher Fürsorge (hier ist nicht die staatliche Armenhilfe gemeint) zu werden. »Gute Verhältnisse« liegen ihr daher auch heute noch sehr am Herzen, und was gut ist, definiert im wesentlichen der Kaufpreis.

Im Innersten träumt sie manchmal vom Halunken, der sie auf

dem Kartoffelfeld nimmt, von Kneipenzügen und Zwielichtigem, das ihr die schwarzen Sehnsüchte stillen würde.

Am Ende siegt aber stets die Etikette. Wenn alles stimmt, d. h. wenn sie sich im gesellschaftlichen Erfolg ihres Mannes sonnen kann und hin und wieder auf der Terrasse ihres Komforthäuschens, wenn die Freunde eintrudeln – vorzugsweise eine Mischung aus Bohemiens und Ehrgeizlingen –, ist sie eine amüsante Frau, die ihm durchaus das I-Tüpfelchen auf seinem mühsamen Karriereweg sein kann.

Die *gesellschaftsfähige Ausrede* wird jederzeit ihr Verständnis finden.

## Situation: Zu spät nach Hause gekommen

Stell dir vor, da hat doch jemand in meinen Ferrari-Tank gepinkelt. Der Motor war natürlich hin. Hab' gleich bei Ferrari das neue Modell bestellt.

*Hatte mir beim Juwelier einen Diamanten zurücklegen lassen. Als ich ihn abholen wollte, hatte man ihn irrtümlicherweise schon verkauft. Als Entschädigung lud mich der Juwe-*

*lier noch zum Essen ein, wobei er mir den neuesten Schmuckkatalog zeigte.*

Hab' mir mein Hirngespinst wegoperieren lassen.

Habe in der Stadt ein paar Logenbrüder getroffen. Die hatten Probleme. Du weißt, daß wir füreinander einstehen müssen.

*Habe zugesehen, daß ich den Geschäftsfreund vom Chef zum Flughafen bringen konnte. Wenn man Karriere machen will, kommt man an sowas nicht vorbei.*

Habe meinen Kotflügel vom Scheiß befreit.

*Ich wollte uns beiden was Nettes zum Abendessen kaufen. Rannte von Feinkostgeschäft zu Feinkostgeschäft. Um 18.30 Uhr war alles dicht. Hab' es dann noch einmal am Flughafen versucht. Denkst du, man kriegt um die Zeit Hummer?*

*Mein Chef traut mir wohl 'nen guten Ge-schmack zu. Sagt, ich solle zu einer Weinprobe mit zu ihm nach Hause kommen. Scheiß Ab-hängigkeit!*

Habe Sandmännchen auf seiner nächtlichen Tour begleitet.

*Wir sind aber auch über gar nichts informiert! Direkt neben der Firma findet d i e Vernissage statt – mit allen wichtigen Leuten, die man kennen sollte. Alle Kollegen gehen hin. Da tu ich natürlich so, als hätte ich's auch gewußt. Zum Telefonieren war ich nie allein.*

## Situation: Mal dringend fortmüssen

Ich habe da von einer tollen Gelegenheit ge-hört, an gefälschte Mirós zu kommen. Einmali-ge Gelegenheit! Ich fahre mal schnell hin.

Philipp hat einen Grafen bei sich zu Gast. Will mich mal kennenlernen. Soll ein Männertreff werden.

Hans ist wegen seiner fallenden Aktien völlig am Boden zerstört. Ich soll mal zum Beratungsgespräch hin.

Muß noch schnell mit Klaus zum Mauerblümchenpflücken.

Heute ist Brunch auf Schloß Wallach. Ein paar Connections können nicht schaden.

*Mein Chef hat gerade angerufen* (kann ein Freund übernehmen). *Soll den Geschäftsfreund vom Flughafen abholen. Wahrscheinlich, weil unser Autochen so repräsentativ ist.*

*Du bist doch so fürs Gepflegte. Laß mich mal ganz allein ein gepflegtes Bier trinken gehen!*

*Muß zum Crashkurs in die Stadt. Wollte dir
erst nicht sagen, daß ich für Führungsaufgaben
geschult werden soll.*

**Situation: Keine Lust auf Sex**

Ich will mich doch noch auf dich freuen können. Also, morgen, ich versprech's dir.

*Du bist mir zu kostbar, um einfach vernascht
zu werden. Laß mich dich ansehen.*

Bei unseren lauten Geräuschen – du bringst
mich eben so in Ekstase – werden bestimmt die
Nachbarn hellhörig.

Mein neues Hüftgelenk kneift.

Ich möchte mal was ausprobieren, wo ich dich
vorher mit Schlamm bewerfen kann (Stimmung bei ihr garantiert unter Null!).

*Ich bin nicht mehr sicher, ob du mich wirklich liebst. Da kann ich an nichts anderes denken.*

Habe Entzugserscheinungen. Muß dringend eine qualmen.

*Wenn ich morgen topfit ins Gehaltsgespräch gehe, sehe ich dich schon den Silberfuchs tragen. Muß mich noch innerlich darauf vorbereiten.*

Konrad sagt, er würde dich nicht mit spitzen Fingern anfassen! Männersolidarität kann vielleicht nicht schaden.

## Situation: Ein Wochenende für sich rausschlagen

Ich sollte mal Tante Marthe besuchen. Hab' im Gefühl, daß sie mich als Erbe kräftig berücksichtigt.

*Wollte mal mit Werner ein Segel-/Reit-/Golf-wochenende verbringen. Da trifft sich doch die ganze Creme. Nur Typen!*

*Da ist 'ne Super-Auto-Show in Karlsruhe. Reine Männersache. Vielleicht entdecke ich was Schönes für uns.*

Will mit Harald ein paar Nonnen bekehren.

Alice Schwarzer hat ein Diskussionswochenende arrangiert. Soll als Super-Chauvi auftreten. Der werde ich's zeigen . . .

Ich bin als Pressesprecher im Kieler Landtag vorgeschlagen worden. Jetzt werde ich in die Schmiermethoden eingewiesen. Sollte mir die Chance zumindest nicht entgehen lassen.

*Da hat ein Freund 'ne knifflige Rechtsangele-genheit in Stuttgart zu erledigen. Muß als Zeuge ran. Reines Arbeitstreffen, wie ich den kenne.*

Horst ist in einen Vergewaltigungsfall ver-
wickelt. Wenn ich den Typ erwische, der sich an
den armen Hotte rangemacht hat!


**Situation: Hochzeitstag / Kennenlerntag /
Geburtstag vergessen**


Die Wahrheit ist: Ich hatte dir das schönste
Kleid bei »Exquisit-Versand« bestellt. Wenn
man nicht alles direkt macht . . .

Ich wollte in der Flut von Glückwünschen nicht
untergehen. Also habe ich mir für übermorgen
etwas ganz Besonderes ausgedacht.

*Ich fühle mich mit dir, als sei's der erste Tag.
Wie sollte ich da an unseren »Jahrestag«
denken!*

Habe mich auf der Milchstraße verirrt; dein
Geschenk ist in der Galaxis verschwunden.

*Daß ich den Tag nicht erwähne, bedeutet: Zeit soll in unserer Liebe keine Rolle spielen.*

Hatte das teuerste Restaurant der Stadt für uns allein angemietet. Da höre ich doch erst heute, daß die nicht einmal deine Lieblingsspeise führen. Also habe ich wieder abgesagt. Hoffentlich kannst du mir das nachsehen. Wonach ist dir also?

Thomas war völlig abgebrannt. Habe ihm mit einem Feuerlöscher ausgeholfen. Das geht doch wohl vor!

*Mein Geschenk ist: Du darfst spontan drei teure Wünsche äußern. Einlösen kann ich sie natürlich erst morgen.*

Ich wollte nicht, daß du einen Moralischen kriegst. Ich meine, wegen der Zeit und der Vergänglichkeit deiner Schönheit.

# EINEN SEITENSPRUNG ENTSCHULDIGEN

Es ist passiert! Natürlich ist er nur hineingeschlittert, macht Gelegenheit Liebe, wußte er selbst nicht, wie ihm geschah. Trotzdem: Er ist zur fraglichen Zeit zur Seite gesprungen. Dabei wollte er doch keine andere als seine Angebetete!

Jetzt heißt's diplomatisch sein. Sollte er das Glück haben, mit einer gleichfalls »Anfälligen« zusammenzuleben, hat er schon moralisch bessere Karten. Gehört sie aber zu den Ewigtreuen, droht Polarität: Sie oder die andere — vorausgesetzt natürlich, man beichtet.

Soll die harmlose Sünde jedoch auch für die Beziehung harmlos bleiben, greife man lieber zum Wahrheits-Ersatz, also zu einer griffigen Ausrede.

## Situation: Einen Seitensprung entschuldigen

*Glaubst du ernsthaft, die könnte dir das Wasser reichen?*

War so'n schönes Gefühl, zu wissen, daß ich mich anschließend nur verbessern kann.

*Absurd! Du weißt doch, daß ich bei keiner anderen einen hochkriege.*

Habe eine Wette beim Schlüpferstürmen verloren.

*Da kommt so 'ne Emanze, will mich provozieren. Die habe ich auflaufen lassen. Hab' so getan, als ginge ich ihr auf den Leim, hab' sie dann nach vier Stunden abblitzen lassen.*

*Ich und Sandra! Du müßtest doch wissen, wie fade ich die finde. Die Haarfarbe ist wirklich nicht alles.*

Mich hat ein Vampir angezapft.

*Da hat mich diese Frau doch einem wichtigen Menschen aus der Computerbranche vorgestellt. Weiß gar nicht, welches Interesse die hatte. Wollte sich wahrscheinlich wichtig tun.*

Ich und Gabi geknutscht? Habe ihr gezeigt, wo die Grenzen bei AIDS-Gefahr sind.

**einst:** Es gibt gewisse Dinge, wo ein Frauenzimmer immer schärfer sieht als hundert Augen einer Mannsperson. (Lessing)

**moderne Interpretation:** a) Bestätigung dafür, daß frau immer nur an das eine denkt. — b) Beleg dafür, daß Wände Augen haben.


**einst:** Gehst Du zum Weibe, vergiß die Peitsche nicht. (Nietzsche)

**moderne Interpretation:** Liebevolle Erinnerung an die Requisiten Ihrer oder ihrer perversen Gelüste. Vorsichtshalber auch Lederstiefel einpacken.


**einst:** Die Frauen mißtrauen den Männern im allgemeinen zu sehr und im besonderen zuwenig. (Gustave Flaubert)

**moderne Interpretation:** Stellen Sie sich besser auf den allgemeinen Fall ein, und legen Sie sich eine schonungsvolle Ausrede zurecht.


**einst:** Willst Du eine Frau nehmen, so zieh die Ohren mehr als die Augen zu Rat. (Sprichwort)

**moderne Interpretation:** Quatsch! Beim Schäferstündchen soll sie ja nicht reden, sondern fühlen.


**einst:** Wenn Dich eine Frau haßt, so hat sie Dich geliebt, liebt Dich oder wird Dich lieben. (Volksweisheit)

**moderne Interpretation:** Also, nicht wie bisher jeden Korb als Niederlage werden, sondern ran an die Weiber!


**einst:** Schöne Tage soll man abends loben und schöne Frauen morgens. (Sprichwort)

**moderne Interpretation:** Augenwischerei! Mit einem morgendlichen Lob bei Ihrer Schönen kommen Sie auch nicht weiter, wenn Sie etwas ausgeheckt haben. Dann sind eher Ausreden angesagt.

# JAVAANSE JONGENS